Para Edward.
C. H.

Para Meredith,
desde la lejanía, compartiendo
una manzana en un árbol.
E. H.

Título original: *Everything You Need for a Treehouse*

© 2018, del texto: Carter Higgins
© 2018, de las ilustraciones: Emily Hughes
Publicado originalmente por
Chronicle Books LLC, San Francisco, California

© 2019, Libros del Zorro Rojo
Barcelona - Buenos Aires - Ciudad de México
www.librosdelzorrorojo.com

Dirección editorial: Fernando Diego García
Dirección de arte: Sebastián García Schnetzer
Traducción y edición: Estrella B. del Castillo
Corrección: Sara Díez Santidrián

ISBN: 978-84-947735-0-1   Depósito legal: B-27642-2018

Primera edición: marzo de 2019

Impreso en China

El derecho a utilizar la marca «Libros del Zorro Rojo»
corresponde exclusivamente a las siguientes empresas:
albur producciones editoriales s.l.
LZR Ediciones s.r.l.

Cómo hacer una casa en un árbol

Carter Higgins

Emily Hughes

LIBROS DEL ZORRO ROJO

Todo lo que necesitas
para hacer una casa en un árbol
es tiempo,
y mirar hacia arriba
e imaginar una casa
de madera y cañas,
con trozos de corteza rugosa.

Puede que necesites
apuntalar tu árbol y, con tablones,
construir un balcón entre las ramas,
para asomarte y extender tus brazos,
observar las madrigueras de las mofetas
o las de los topos en los prados.
Te vendrían bien unos prismáticos
y diez dedos ágiles en los pies.

O tal vez, si eres el vigía
de un tropel de árboles
y quieres otear a lo lejos,
solo tienes que entrecerrar
los ojos.
«¿Es aquella mi torre
o una corona enramada?»
Una arboleda majestuosa
será tu refugio silvestre.

Esté donde esté, selva, bosque o colina,
tu árbol será el más alto...

para ver de cerca las pecas del sol.

Comienza por dibujar los planos,
necesitarás un martillo para golpear
algunos clavos,
y un serrucho
(no olvides ponerte el casco).

Luego rodéalo con una cuerda gruesa
y haz dos nudos fuertes; levanta las tablillas
con cuidado y sube por una escalera.

Con las tablas que sobren, puedes construir
un macetero para las begonias y una celosía
para las buganvillas.

«Hojas tiernas para las babosas
y un jardín de caléndulas:
¡son tan fáciles de sembrar!»

Indispensable un columpio
o tal vez una soga,
y muchas lianas, como hebras
de azúcar hilado y savia,
para escalar y tumbarse en una rama
y luego deslizarse de nuevo hasta el suelo.

Montañas de libros no pueden faltar
porque es posible que desees
navegar por los mares bañados de sol
o cavar un túnel
que atraviese suelo, raíces y rocas
hasta el otro lado de la Tierra.

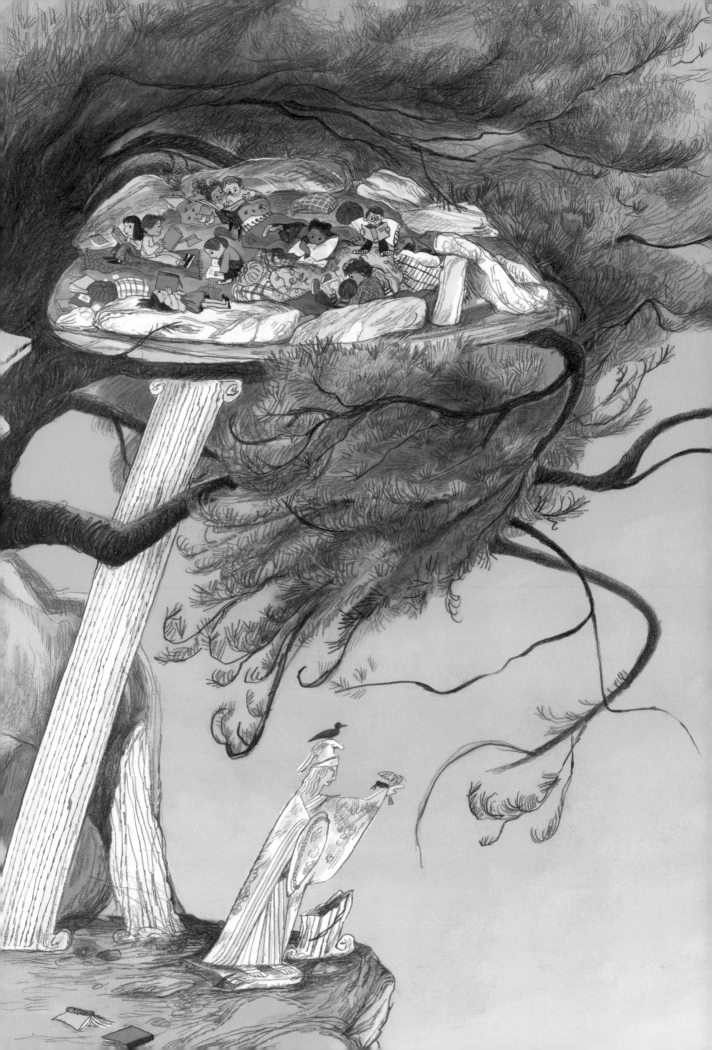

Una buena provisión de bocadillos
en tu mochila, para cuando el hambre
ataque a los voraces aventureros.

«Regaliz, cerezas en almíbar, nunca me faltan,
pero si te gustan los pistachos, ¡genial!
Los piratas también comen frutos secos,
y escupen las cáscaras desde la cubierta.»

Asegúrate de que tu saco de dormir no tiene
agujeros, tus calcetines tampoco
(incluso los más viejos).
En lo más alto siempre hace frío,
y no querrás temblar bajo un techo estrellado.

Pero las estrellas quedarán lejos de tu alcance,
y necesitarás una linterna
para hacer tu propio cielo de haces de luz
y sombras.

Y sabrás que fue una buena idea
esa pila de almohadas.

Qué bueno sería si las sombras rugieran
de vez en cuando.
«Si tu saco de dormir es espacioso,
nos acurrucaremos dentro, tú a mi lado,
y oiremos cantar a las ranas.»
Los mejores amigos estrechan sus manos,
llenas de rasguños, y sonríen.

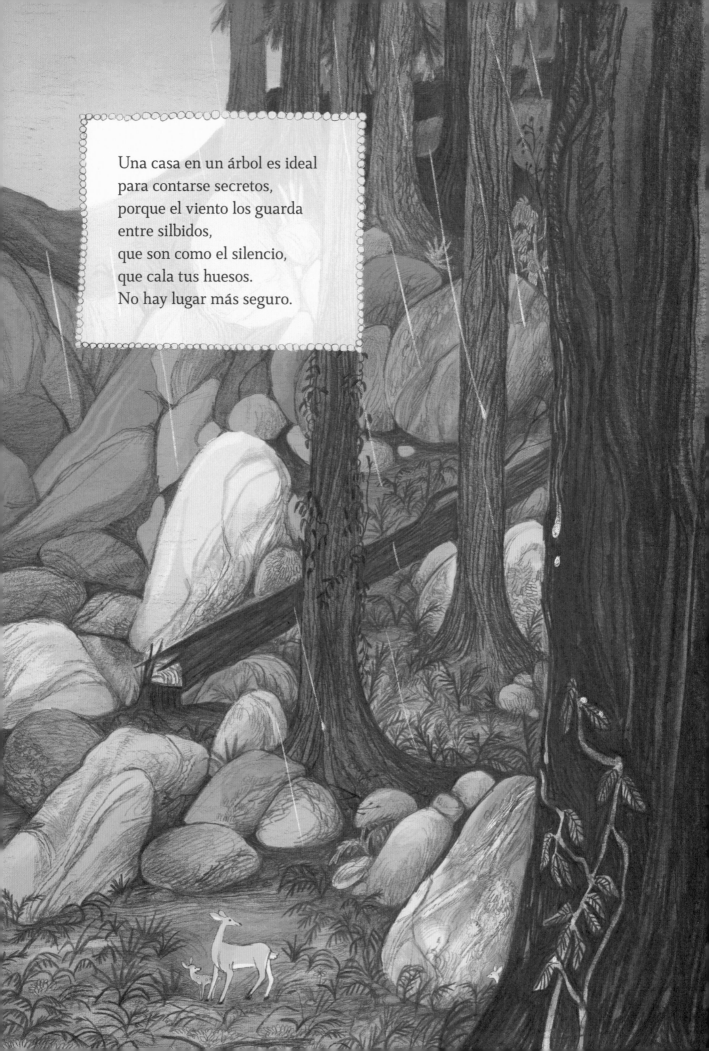

Una casa en un árbol es ideal
para contarse secretos,
porque el viento los guarda
entre silbidos,
que son como el silencio,
que cala tus huesos.
No hay lugar más seguro.

Pero si quieres dejar de susurrar,
grita, grita hasta que se dispersen

los monstruos. Los búhos ulularán contigo,
y los grillos te harán los coros.

Las begonias

los secretos

la savia

y las motas de luz.

Todo lo que necesitas para hacer una casa
en un árbol es tiempo,

y mirar hacia arriba.

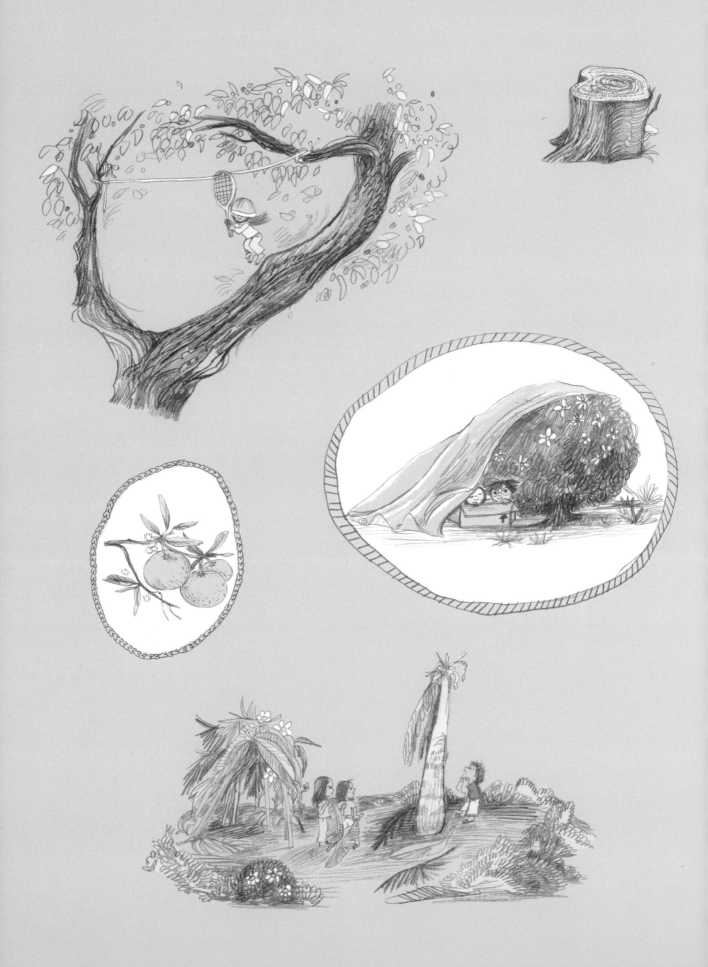